D1032466

SONNE·MOND UND·STERNE

- ★ *Erstes Lesealter*
- ★ *Große Schrift*
- ★ *Viele farbige Bilder*
- ★ *Bekannte Autoren*

Andreas Venzke
Tarzan
auf dem Mammut

Bilder von
Marlis Scharff-Kniemeyer

Verlag Friedrich Oetinger · Hamburg

© Verlag Friedrich Oetinger, Hamburg 1998
Alle Rechte vorbehalten
Einbandgestaltung: Manfred Limmroth
Titelbild und farbige Illustrationen: Marlis Scharff-Kniemeyer
Litho: Posdziech GmbH, Lübeck
Druck und Bindung: Mohndruck GmbH, Gütersloh
Printed in Germany 1998*

ISBN 3-7891-0539-2

Tarzan ist zehn Jahre alt. Der richtige Tarzan ist natürlich älter, der Tarzan, der im Urwald lebt, der mit den Affen, den Elefanten und mit Jane.

Aber es gibt noch einen anderen Tarzan. Der wohnt in Ruhstadt. Ruhstadt hat keinen Urwald, keine Affen und Elefanten und keine Jane. Dafür hat Ruhstadt einen Tarzan.

Eigentlich heißt der Tarzan aus Ruhstadt Hans. In der Schule haben sie ihn Tarzan genannt. Er hatte nämlich dem Alex erzählt, dass er die Lisa so gern hat und dass er sie mal abholen möchte, mit einem Elefanten – wie Tarzan. Doch Alex hatte das nicht für sich behalten.

Tarzan macht es aber nichts aus, dass

6

alle ihn so nennen. Er ärgert sich nur, dass er nicht so sein kann wie der richtige Tarzan – dass er nicht mit einem Löwen kämpfen, Lisa retten und mit ihr auf einem Elefanten reiten kann. Mit einem Löwen will er zwar nicht gleich kämpfen, aber auf einem Elefanten reiten, das würde er sofort tun. Und vorher würde er Lisa retten, wenn sie in Gefahr wäre. Bloß traut er sich nicht, ihr das zu sagen. Denn wenn er mal mit Lisa sprechen will, kommt er meistens ganz durcheinander.

Wie man seine Freundin rettet, mit Löwen kämpft und auf einem Elefanten reitet – das hat Tarzan alles im Fernsehen gesehen. Tarzan sitzt oft vor dem Fernseher, meistens aus Langeweile. Er träumt dann davon, Lisa mit einem Elefanten abzuholen.

Als Tarzan eines Tages von der Schule nach Hause geht, ruft plötzlich jemand hinter ihm: „Tarzan!" Er dreht sich um und sein Herz fängt an zu klopfen. Hinter ihm gehen ein paar Jungen und Mädchen aus seiner Klasse. Auch Lisa ist dabei und Alex. Und Alex hat „Tarzan!" gerufen. Tarzan bleibt stehen und sieht Lisa an. Er mag sie so.

„Na, Tarzan", ruft Alex, „wo ist dein Elefant?"

Alle lachen. Nur Lisa lacht nicht. Sie weiß natürlich auch, dass Tarzan sie abholen möchte mit einem Elefanten. Er hofft, dass sie wirklich daran glaubt.

„Der kommt schon, der Elefant!", sagt Tarzan aufgeregt.

„Wo willst du den denn herkriegen?", fragt ihn Alex.

„Im Zoo gibt's Elefanten", antwortet Tarzan.
„Und da fährst du hin und klaust dir einen!", ruft Alex und alle lachen wieder.

„Sonst gibt's die Elefanten in Afrika!",
sagt plötzlich Lisa und sie wird ein
bisschen rot.
Tarzan nickt ihr zu und sagt schnell:
„Genau, in Afrika laufen die überall
rum."
„So, und wie kommt dein Elefant
hierher?", fragt Alex. „Oder hast du den
schon geholt aus Afrika?"
Wieder lachen alle.
Tarzan weiß nicht mehr, was er sagen
soll. Er überlegt, wo Afrika genau liegt.
„Tarzan, vielleicht rufst du mal wie
Tarzan, damit alle Elefanten dich hören
und hierher kommen", sagt Alex noch
und dann fängt er an zu schreien wie
der richtige Tarzan und alle schreien mit:
„Aaaiiiaaaiiiaaa!" – alle bis auf Lisa.
Sie gehen an ihm vorbei und schreien
weiter: „Aaaiiiaaaiiiaaa!"

10

„Den krieg ich schon, den Elefanten!",
ruft Tarzan ihnen hinterher.
Tarzan ist traurig und er hat keine Lust
nach Hause zu gehen. Zu Hause weiß
er nie, was er machen soll. Seine Eltern
arbeiten beide und sie arbeiten von
morgens bis abends.
Auf dem Weg durch die Stadt sieht
Tarzan, dass Peter wieder auf seiner
Bank hockt. Tarzan geht zu ihm hin und
setzt sich neben ihn.

Peter sitzt meistens auf einer bestimmten
Bank und trinkt Bier. Er hat keine
Wohnung und keine Arbeit und kaum
einer spricht mit ihm. Dabei erzählt Peter
immer tolle Geschichten.
„Na, Tarzan", sagt Peter. „Hast du
schlechte Laune?"
Tarzan erzählt ihm, dass er gern einen
Elefanten haben möchte, um damit Lisa
abzuholen.

12

Peter hört aufmerksam zu. Dann nimmt er einen Schluck von seinem Bier, kratzt sich am Kopf und sagt: „Du musst schon was dafür tun, wenn das klappen soll. Geh mal ins Rathaus und frag da nach dem Elefanten! Im Rathaus können sie dir vielleicht helfen. Die verwalten doch alles so ordentlich."

„Meinst du?", fragt Tarzan.

„Ja, mach das!", sagt Peter. „Frag die ruhig! Dazu sind die da."

„Meinst du wirklich?", fragt Tarzan noch einmal und Peter sagt laut „Ja!" und nickt mit dem Kopf in Richtung Rathaus.

Zögernd steht Tarzan auf und läuft dann los.

Als er in der Eingangshalle des Rathauses steht, weiß er gar nicht, wo er fragen soll. Überall sind lange Gänge und in allen Gängen viele, viele Türen.

13

Dann sieht er einen Mann hinter einer Glasscheibe sitzen. Er geht zu ihm hin.

„Guten Tag!", sagt Tarzan.

„Guten Tag!", sagt auch der Mann und faltet die Zeitung zusammen, in der er gelesen hat. „Was kann ich denn für dich tun?", fragt er freundlich.

„Ich suche einen Elefanten", antwortet Tarzan.

„Einen Elefanten?", fragt der Mann und lacht.

Doch er hört sich genau an, was Tarzan will. Zum Schluss sagt er: „Also, mit so was müsste die Frau Lüdgers zu tun haben. Da gehst du hier vorn die Treppe hoch, dann links den Gang lang und immer geradeaus. Frau Lüdgers findest du in Zimmer 121. Sie ist für Tiere zuständig. Das nenne ich eine nette Abwechslung."

14

Tarzan bedankt sich
und macht sich gleich
auf den Weg. Schon ist
er die Treppe hoch. In dem
Gang klacken seine Schuhe auf dem
Steinfußboden. Tarzan traut sich kaum,
richtig aufzutreten. Er zählt die Zimmer
ab, die bei 101 losgehen.
An der Tür mit der Nummer 121 klopft
er vorsichtig an. Nichts ist zu hören.
Erst als Tarzan lauter klopft, sagt jemand:
„Ja!"

Tarzan macht die Tür auf. In dem Zimmer sitzt eine Frau vor einem Bildschirm und um sie herum liegt alles voller Zettel. „Sie wünschen?", fragt die Frau und starrt weiter auf den Bildschirm. „Sind Sie Frau Lüdgers?", fragt Tarzan zurück. Da hebt die Frau den Kopf. „Bin ich", sagt sie und fragt: „Und? Was möchtest du?"

Tarzan denkt sich, dass diese Frau Lüdgers bestimmt nicht so viel Zeit hat wie der Mann am Eingang. Daher antwortet er gleich: „Der Mann am Eingang hat mir gesagt, dass Sie für Tiere zuständig sind, und da wissen Sie vielleicht, wo man in Ruhstadt einen Elefanten herkriegen kann."

„Dafür bin ich nicht zuständig", sagt Frau Lüdgers zuerst – und dann fragt sie: „Einen Elefanten? In Ruhstadt? Wie kommst du denn darauf?"

Tarzan muss schlucken. Er merkt, dass Frau Lüdgers ihm nicht helfen kann. Aber er will nicht gleich aufgeben.

„Der Peter hat gesagt, ich soll im Rathaus danach fragen, weil die doch alles so ordentlich verwalten."

„Der Peter?", fragt Frau Lüdgers mit ganz ernstem Gesicht.

„Ja, der Peter, der immer allein auf der Bank sitzt."

„Junge, dein Peter hat den ganzen Tag nichts Besseres zu tun als zu trinken und Geschichten zu erzählen. Im Rathaus geht es um wichtigere Sachen als Elefanten für kleine Jungs zu besorgen. Lass dir am besten von deinen Eltern helfen!"

Tarzan steigt das Blut in den Kopf.

„Meine Eltern würden das gar nicht verstehen", sagt er heiser. Tarzans Eltern sind nach der Arbeit immer müde und hören ihm nie richtig zu.

„Und hier versteht das auch keiner. Und nun geh mal wieder! Wir müssen arbeiten", sagt Frau Lüdgers und starrt wieder auf den Bildschirm.

Tarzan weiß gar nicht mehr, was er sagen soll.

18

„Auf Wiedersehen!", brummt Frau Lüdgers
noch, als er schon im Flur steht.
Tarzan ist so wütend, wie er noch nie
wütend war. Er geht zurück zur Treppe
und diesmal tritt er richtig auf. Aber dann
hört er das laute Klacken seiner Schuhe
wie Lachen: Ha-ha-ha statt klack-klack-
klack. Da rennt er los, rennt
die Treppe hinunter, durch
die Eingangshalle und
stürzt aus dem
Rathaus.

„Junge, was ist denn los?", ruft ihm der Mann am Eingang hinterher.

Tarzan rennt einfach weiter und er rennt zurück zu Peter. Vor Wut kann er zuerst gar nicht richtig sprechen. Aber Peter hört ihm gespannt zu. Und als Tarzan dann murmelt: „Weißt du, vielleicht kommt doch nie ein Elefant nach Ruhstadt", da richtet sich Peter auf und sagt laut: „Die vom

Rathaus! Typisch! Klar kommt bald ein Elefant nach Ruhstadt. Dann werden die Leute mal sehen, dass der Kopf nicht alles entscheidet. Man muss auch mit dem Herzen denken. Die Leute werden staunen. Klar kommt bald ein Elefant nach Ruhstadt."

„Aber wie denn?", fragt Tarzan und lässt den Kopf hängen.

Peter nimmt einen tiefen Schluck von seinem Bier und starrt vor sich hin. Doch plötzlich sagt er noch lauter als vorher: „Ich hatte mal einen Freund. Mit dem war ich vor vielen Jahren unterwegs. Der müsste bald in der Gegend sein, nicht in Ruhstadt wie früher, aber nicht weit weg von hier – vielleicht würde der mich auch wieder aufnehmen. Ja, das ist es. Tarzan: Man muss seinen Träumen Beine machen."

Tarzan versteht nicht ganz, was Peter meint. Aber er spürt, dass ihm Peter doch helfen kann.

Als Tarzan nach Hause geht, glaubt er wieder fest daran, dass er Lisa so abholen kann, wie er das möchte. Er soll noch ein paar Tage Geduld haben, hat Peter gesagt.

Am nächsten Tag will Tarzan wieder zu Peter gehen. Doch der ist nicht an seinem Platz. Tarzan wundert sich.

Im Fenster eines Hauses stützt ein Mann seine Ellenbogen in ein Kissen. Der könnte was gesehen haben, denkt Tarzan

und ruft ihm zu: „Wo ist denn der Peter?"
„Wer?", ruft der Mann zurück.
„Der Peter, der hier immer auf der Bank
sitzt."
„Ach der!", ruft der Mann und lacht. „Der
hat heute Morgen endlich seine Sachen
gepackt und sich davongemacht."
Tarzan freut sich. Er weiß ja, warum
Peter fort ist.

In den nächsten Tagen denkt Tarzan oft
an das, was Peter gesagt hat: Man muss
seinen Träumen Beine machen. Tarzan
sitzt gar nicht mehr vor dem Fernseher.
Er hat angefangen so viel wie möglich
über Elefanten zu lesen. Schließlich will
er sie kennen, wenn er dann auf einem
reitet. Tarzan hat überhaupt keine
Langeweile mehr.
Zuerst hat er noch
ein paar Leute über

Elefanten ausgefragt. Aber er hat schnell
gemerkt, dass sich kaum einer mit
solchen Tieren auskennt.
Er weiß inzwischen, wie das ist mit den
Elefanten, dass es da zwei Arten gibt:
den Afrikanischen und den Indischen. Er
weiß nun auch, dass Afrika unter Europa
liegt, mit dem Mittelmeer dazwischen, und
dass Afrika ein riesiger, meist ziemlich
heißer Erdteil ist. Dort in den Steppen
lebt der Afrikanische Elefant.

Indien ist ebenfalls ein riesiger, meist ziemlich heißer Erdteil. Aber Indien gehört zu einem noch größeren Erdteil: zu Asien, an dem auch Europa dranhängt. In Indien lassen die Menschen die Elefanten für sich arbeiten. Die Indischen Elefanten sind ein bisschen kleiner als die Afrikanischen und ihr Rüssel hat nicht zwei Greiffinger, sondern nur einen.

Wenn man auf einem Elefanten reitet, muss man sich in seinen Nacken setzen, gleich hinter den Kopf. Die Beine zieht man ein wenig an und steckt die Füße hinter die großen Ohren. So ist es ganz leicht, einen Elefanten zu reiten: Man bewegt die Füße und der Elefant versteht, ob er geradeaus, links- oder rechtsherum oder sogar rückwärts gehen soll.

Tarzan weiß bald so viel über Elefanten,

dass ihm keiner mehr was vormachen
kann. Zwar sieht er manchmal, wie die
Leute heimlich über ihn lachen. Aber
dann sagt er sich: Ihr werdet noch
sehen! – wie er nämlich auf so einem
Riesentier angeritten kommt.

Als Tarzan eines Tages wieder aus der Schule kommt, steht plötzlich Peter am Weg.

„Da bist du ja!", ruft er Tarzan gleich zu und fragt dann: „Wie lange dauert das denn, bis die Schule aus ist?"

Peter hat sich ziemlich verändert. Er lächelt die ganze Zeit. Und er hat keine Bierdosen dabei.

„Wo warst du denn?", fragt Tarzan zurück.

„Du hast mir sehr geholfen, mein Junge",
sagt Peter. „Ich habe Fritz wirklich
wieder gefunden und vielleicht habe ich
auch mein altes Leben wieder gefunden.
Der Fritz wartet auf dich am Marktplatz.
Er hat nicht viel Zeit. Lauf los! So einen
langen Weg kann ich nicht mehr so
schnell."
Tarzan versteht überhaupt nichts. „Fritz?",
fragt er.
„Ja, Fritz!", sagt Peter. „Der wird dir
helfen mit dem Elefanten."
„Wie sieht der denn aus, der Fritz?"
„Den erkennst du schon!", sagt Peter nur.
„Und jetzt lauf los!"
Als Tarzan am Marktplatz ankommt, sieht
er dort einen Mann in einem weißen
Hemd und einer bunten Jacke. Außerdem
trägt er glänzende, rabenschwarze
Schuhe. Tarzan geht gleich auf ihn zu.

„Hallo, mein Junge!", begrüßt ihn der Mann. „Du bist der Tarzan, nicht wahr? Hat dich Peter doch noch erwischt?"

„Ja", hechelt Tarzan. „Mathe hat heute länger gedauert."

„Aha! Ich bin übrigens der Fritz und ich habe nicht mehr so viel Zeit", sagt Fritz und blickt auf den Marktplatz. Dann atmet er durch und sieht Tarzan an. „Du willst also auf einem Elefanten reiten, habe ich gehört."

„Nicht nur drauf reiten", antwortet Tarzan.

„Wieso, was denn noch?"

„Na, drauf reiten schon, aber damit die Lisa abholen."

„So, so", sagt Fritz und lächelt, „die Lisa abholen." Er blickt wieder kurz zum Marktplatz. Dann fragt er: „Und wie willst du hier einen Elefanten besorgen? Ein Zoo leiht dir bestimmt keinen. Und

31

Elefanten, die frei herumlaufen, gibt's in Europa nicht."

Tarzan denkt, dass sich Fritz vielleicht über ihn lustig machen will. Er überlegt und sagt plötzlich laut: „Doch!"

„Wie, doch?"

„Es gibt auch europäische Elefanten", antwortet Tarzan.

Fritz zieht die Augenbrauen zusammen.

„Europäische Elefanten?"

„Ja, mit einem langen Fell", sagt Tarzan.

Fritz schüttelt den Kopf. „Elefanten haben doch kein Fell."

Tarzan versucht ernst zu bleiben und sagt: „Mit einem langen Fell, sehr lang."

Da fängt Fritz an zu lachen. „Ach so, die Mammute! Das sind die europäischen Elefanten, ich meine, waren. Das waren europäische Elefanten. – Du weißt wohl eine ganze Menge über Elefanten."

„Habe ich alles selbst gelesen", sagt
Tarzan stolz.
Fritz blickt wieder zum Marktplatz und
runzelt die Stirn. Dann sagt er: „Ich hatte
eher an einen normalen Elefanten für
dich gedacht, einen Indischen. Aber wo
du das mit den Mammuten sagst – die
haben nur dort gelebt, wo Eis ist. Und
früher gab's die Eiszeit. Da war fast ganz
Europa von Eis bedeckt."

Tarzan versteht nicht, was Fritz meint. „Aber die Eiszeit haben wir nicht mehr und die Mammute auch nicht", sagt er. Da fasst sich Fritz an den Kopf, so als wenn einem in Mathe plötzlich die Lösung einfällt. „Wer sagt eigentlich, dass wir die Mammute nicht mehr haben? *Du* hast vielleicht kein Mammut."

„Aber du!", wehrt sich Tarzan.

„Das ist es!", sagt Fritz. „Na, wer weiß, ob ich ein Mammut habe. Auf jeden Fall sind die Mammute dort, wo Eis ist. Und im Eis von Sibirien finden sie doch ständig welche."

Tarzan versteht das alles nicht. „Aber die sind schon lange, lange tot. Die sind da nur eingefroren."

Plötzlich fragt Fritz: „Habt ihr eine Tiefkühltruhe?"

„Ja, wieso?", sagt Tarzan.

„Weißt du, wie lange man darin was einfrieren kann?", fragt Fritz weiter.

„Keine Ahnung", murmelt Tarzan.

Da sagt Fritz ziemlich laut: „Na, höchstens ein Jahr lang. Dann wird das Fleisch und alles schlecht. Und da sollen die Mammute Tausende von Jahren eingefroren sein? Die wären doch längst vergammelt."

Nun ist sich Tarzan nicht mehr sicher, wie das ist mit den Mammuten, ob die wirklich ausgestorben und eingefroren sind.

„Meinst du, dass die noch leben?", fragt er.

„Klar", sagt Fritz und seine Augen werden ganz groß. „Die Menschen können die lebenden Mammute nur nicht entdecken, weil die gelernt haben, sich gut vor uns zu verstecken. Deswegen wird gesagt, die Mammute wären ausgestorben. Man darf nicht alles glauben, was in der Zeitung steht und was das Fernsehen zeigt."

Tarzan denkt: Das wäre was, ein Mammut zu besorgen und Lisa damit abzuholen.

Aber dann überlegt er und sagt: „Da hab ich doch trotzdem nichts von, wenn in

Sibirien noch Mammute leben. Hier gibt's nun mal keine mehr – obwohl das der Hammer wäre: Tarzan auf einem Mammut!"

Fritz lächelt wieder. „Man muss so ein Mammut eben besorgen können. Und in den nächsten Tagen sollen hier sowieso Elefanten herkommen … Da ist der Peter. Hat er dir das noch nicht gesagt?"

Während Peter hin zum Marktplatz hastet, erzählt Fritz weiter: „In den nächsten Tagen sind sie hier in Ruhstadt, die Elefanten und das Mammut. Versprochen. Ich sag dir noch Bescheid. Aber jetzt ist Peter da und ich muss los."

Tarzan weiß gar nicht, was er zu alldem sagen soll. Er will noch was fragen. Aber er steht bloß da mit offenem Mund.

„Na, alter Freund!", ruft Fritz Peter zu. „Tut dir gut, ein bisschen zu laufen. So kommt wieder Bewegung in dein Leben."

Peter atmet schwer. „Ja", sagt er und streicht Tarzan über den Kopf. „Ich habe hundert Jahre geschlafen und dann hat mich einer aufgeweckt, obwohl ich bestimmt nicht aussah wie Dornröschen. Und jetzt – los geht's! Freu dich auf den Elefanten, Tarzan! Wir sind bald wieder zurück."

„Den Elefanten? Ein Mammut. Mit einem Mammut kann Tarzan seine Lisa abholen", sagt Fritz.

„Was?", fragt Peter. Doch da zieht ihn Fritz schon mit sich.

Fritz dreht sich noch einmal um und ruft: „Weißt du, Tarzan, mir hat vorhin einer gesagt, dass man nicht nur träumen darf.

Man muss seinen Träumen Beine machen."

Tarzan sieht den beiden die ganze Zeit hinterher. Er sieht, wie Fritz auf Peter einredet, und er findet, dass Fritz so geht wie ein Tänzer.

Am nächsten Tag erzählt Tarzan in der Schule, dass er Lisa sogar mit einem Mammut abholen wird. Er erzählt es Alex und noch einem anderen Jungen. Lisa selbst sagt er das nicht. Das würde er sich nicht trauen.

Alex lacht gleich los. „Die Mammute sind doch ausgestorben", sagt er und der andere Junge lacht mit.

Aber Tarzan fragt sofort: „Und wie ist es mit den eingefrorenen Mammuten, die sie in Sibirien finden?"

Als die beiden überlegen, sagt er das mit der Tiefkühltruhe, und da überlegen sie erst recht.

Dann erklärt Tarzan, warum die Mammute doch noch leben. Zwar macht sich Alex gleich wieder über ihn lustig, aber Tarzan weiß: Das mit dem Mammut werden nun alle erfahren – und Lisa auch.

Eine ganze Woche ist schon vergangen.
Peter ist nicht wieder aufgetaucht und
weit und breit ist kein Elefant zu sehen.
Doch als Tarzan gerade beim Bäcker ist
und ein Brot gekauft hat, kommt eine
Freundin von Lisa auf ihn zugeschossen.
„Mensch, Tarzan, hier bist du!", keucht
sie. „Da ist ein Mann in der Stadt. Der
sucht dich. Er geht jetzt zum Bahnhof
runter."
Tarzan weiß, wer dieser Mann nur sein
kann. Er läuft sofort los, zum Bahnhof –
und vergisst fast das Brot mitzunehmen.
Was für ein Treiben herrscht am Bahnhof!
Mit der Eisenbahn ist ein Zirkus in
Ruhstadt angekommen, so wie früher.
Immer noch einen Wagen ziehen die
Trecker von dem langen Eisenbahnzug.
Die Wagen sind voll mit Geräten,
Stangen, Planen – und mit Tieren.

42

Da wiehern Pferde, brüllen Affen und schweigen Lamas. Aus zwei Wagen faucht es heraus: In dem einen sind Tiger, in dem anderen Leoparden. Und gerade werden vier Elefanten auf die Straße geführt. Einer trompetet so laut, dass es dröhnt wie eine Sirene.
Es haben sich schon eine Menge Leute versammelt, die sich das Spektakel ansehen.

Tarzan drängelt sich zwischen ihnen
durch und geht gleich zu den Elefanten,
als wären die nur für ihn gekommen. Und
mitten zwischen den Elefanten sieht er
einen Mann in einem weißen Hemd und
einer bunten Jacke. Der Mann hat auch
einen Zylinder auf, der so schwarz ist wie
seine Schuhe.

44

„Fritz!", ruft Tarzan ihm zu.

„Tarzan!", ruft Fritz zurück und kommt zu ihm. „Na, da bist du ja!"

„Ist der Peter nicht hier?", fragt Tarzan besorgt.

„Doch, Peter ist hier", antwortet Fritz, „nur nicht am Bahnhof. Du wirst ihn noch treffen. – Sieh sie dir an, die Elefanten!

Wir ziehen jetzt zum Marktplatz und du führst sie dahin. Komm, begrüß deine Freunde!"

„Wo ist das Mammut?", fragt Tarzan plötzlich enttäuscht.

„Da steht es doch, vor dir", sagt Fritz. „Der Große da, das ist das Mammut."

„Aber das ist doch ein Elefant, ich meine, ein Indischer Elefant. Der hat nur einen Finger am Rüssel."

„Aber siehst du nicht, wie weiß der ist?"

„Das stimmt", sagt Tarzan. Erst jetzt fällt ihm auf, dass dieser Elefant gar keine andere Farbe hat als Weiß. Sogar seine Wimpern sind weiß. Das Einzige, was nicht weiß an ihm ist, sind seine Augen. Die sind komischerweise rot, richtig rot.

„Und Elefanten sind doch nicht weiß, oder?", sagt Fritz und lächelt.

Tarzan versteht nicht. „Was hat denn ein weißer Elefant mit einem Mammut zu tun?"

Fritz sieht ihn ziemlich ernst an. „Weißt du, wie die Haut unter deinen Haaren ist?"

„Wie soll die sein?", fragt Tarzan zurück.

„Na, weiß ist die, ganz weiß!", antwortet Fritz.

„Na und?" Tarzan versteht erst recht nicht.

„Überleg doch mal!", sagt Fritz und tippt sich an die Stirn. „Wenn du dir die Haare abrasierst, ist die Haut darunter weiß. Und dieser Elefant hier hat weiße Haut." Tarzan lacht. „Weil der rasiert ist?" Fritz hält die Arme auseinander. Tarzan hat die Lösung. „Der da ist das Mammut. Der ist so weiß, weil er die Haare abrasiert hat."

„So ist es", sagt Fritz. „Wenn unser Mammut nicht rasiert wäre – es würde sterben bei dieser Hitze. Und jetzt komm! Die Tiere brauchen Bewegung. Und du führst sie zum Marktplatz! Dort wird der Zirkus aufgebaut."

Als Tarzan sich vor den weißen Elefanten stellt, vor das Mammut, da rutscht ihm doch das Herz in die Hose. So groß ist ein Mammut, so groß! Tarzan nimmt seinen ganzen Mut zusammen.

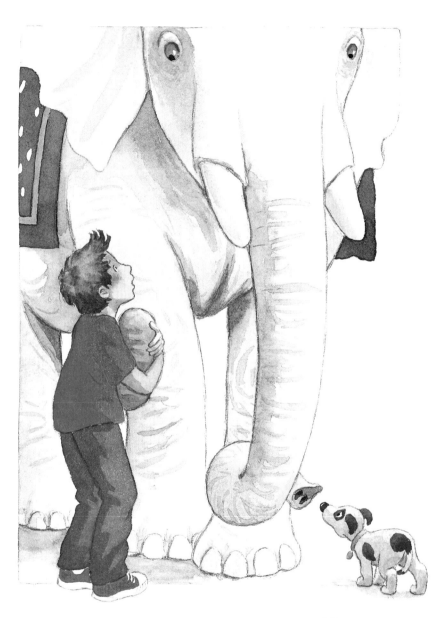

„Man muss es hinterm Ohr streicheln, nicht wahr?", sagt er.

Fritz nickt und Tarzan streckt sich und krault dem Mammut hinter dem Ohr. Und das Mammut fängt gleich an den Kopf hin und her zu wiegen. Fast wie eine Katze, denkt Tarzan.

Dann streckt das Mammut den Rüssel

vor. Es beschnuppert Tarzan, bis es plötzlich – plötzlich schnappt es sich mit dem Rüssel das Brot, das Tarzan unter dem Arm hält.

„He!", ruft Fritz. „Gib das mal wieder her!" Fritz hält dem Mammut den Rüssel fest und nimmt sich das Brot einfach zurück.

Da trompetet das Mammut los, fast noch lauter als eine Sirene.

„Ärgert es sich so?", fragt Tarzan.

„Ja, weil es Hunger hat!", antwortet Fritz.

„Es kann ruhig ein Stück von meinem Brot haben", sagt Tarzan.

„Ein Stück?", fragt Fritz und grinst. „Du weißt doch wohl, wie viel ein Elefant frisst! Ein Brot ist für ein Mammut so viel wie für uns ein Keks."

Tarzan überlegt und sagt dann: „Wenn es so einen Hunger hat, kann es das Brot ruhig haben."

Fritz lacht. „Na, dann gib es ihm!"
Tarzan nimmt sein Brot und hält es dem
Mammut hin. Das will wieder mit dem
Rüssel danach fassen.
„Du kannst es ihm gleich in den Mund
stecken!", sagt Fritz und ruft dem
Mammut zu: „Hoch den Rüssel!"
Da hebt das Mammut den Rüssel hoch,
so wie ein Bagger die Schaufel ausfährt.
Und unter dem Rüssel steht der Mund
offen, groß wie ein Backofen. Als Tarzan
sein Brot dort hineinschiebt, spürt er, wie
die riesige Zunge an seiner Hand reibt.
Schon geht der Mund wieder zu. Das
Mammut kaut ein paarmal und schluckt
das Brot hinunter. Dann schiebt es seinen
Rüssel vor und streicht Tarzan über den
Kopf.
„Siehst du!", sagt Fritz. „Es bedankt sich
bei dir."

Tarzan streichelt den Rüssel und spürt,
dass ihn das Mammut mag.
„Also los!", sagt Fritz. „Steig auf! Wir
müssen zum Marktplatz."
Fritz schlägt dem Mammut leicht ans
Knie. Das beugt sich sofort hinunter. Fritz
macht eine Räuberleiter und ohne zu
zögern lässt sich Tarzan auf das Mammut
heben wie auf einen Baum.

„Warte hier!", sagt Fritz und geht, um die anderen drei Elefanten heranzuführen.

Als die dann alle hinter dem Mammut stehen, kommt Fritz zurück und ruft: *„Allez!"*

Sofort geht das Mammut los. Tarzan juchzt vor Freude. Er hat einen tollen Ausblick. Alle Elefanten trotten in einer Reihe dahin und hinter den Elefanten tuckert ein Trecker, der einen

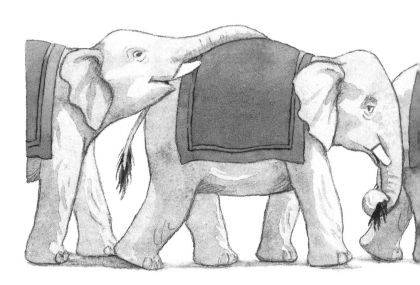

Zirkuswagen zieht. Und auf diesem Wagen steht groß: *Das haben Sie noch nie gesehen: Ein Mammut! Sehen Sie unser rasiertes Mammut!*

Fritz führt das Mammut locker an einer Leine. Tarzan weiß sofort, wie er auf dem Mammut reiten muss.

„Halt!", schreit plötzlich jemand. „Halt! Ich will auch mit!"

Es ist Alex, der angelaufen kommt.

„Ich will auch mitreiten, da obendrauf",
schreit Alex weiter und stellt sich direkt
vor das Mammut.
„Was machst du denn?", ruft Fritz
erschrocken. „Du kannst dich nicht

einfach vor den Elefanten stellen. Das ist gefährlich."

Das Mammut ist aber sofort stehen geblieben. Es fährt den Rüssel aus, schnuppert an Alex und trompetet dann ganz wild. Doch Fritz flüstert dem Mammut ins Ohr und es schnaubt nur noch.

„Ich will auch mit!", schreit Alex wieder.

Fritz sieht zu Tarzan hoch und fragt: „Darf er mit?"

Tarzan ist sprachlos. Er, Tarzan, er ganz allein will doch Lisa auf einem Mammut abholen!

Wieder schreit Alex: „Lasst mich auch rauf!"

Da fährt das Mammut seinen Rüssel aus und schiebt Alex einfach beiseite.

„Die Sache hat ein anderer entschieden", sagt Fritz.

Als sie weiterziehen, sammeln sich immer
mehr Leute am Straßenrand.
Auch vor dem Haus von Lisa stehen
viele Leute – nur Lisa nicht. Tarzan
denkt, dass Lisa ja gar nicht wissen
kann, dass er sie an diesem Tag abholen
will. Es könnte sein, dass sie gar nicht
zu Hause ist.
„Tarzan, was ziehst du plötzlich für ein

Gesicht?", ruft ihm Fritz zu. „Freust du dich nicht?"

„Doch! Aber vielleicht ist die Lisa gar nicht da!", antwortet Tarzan und seine Stimme überschlägt sich.

„Bestimmt ist sie da", sagt Fritz. „Ich gehe mal eben rein und frage nach ihr!"

„Nein!", ruft Tarzan plötzlich. „Da ist sie schon!"

Lisa kommt gerade aus dem Haus. Sie trägt ein buntes Kleid und hat eine Blume in den Haaren. Und wer mit ihr aus dem Haus kommt, ist Peter, den sie eigentlich gar nicht kennt. Peter sieht ganz verändert aus. Er hat einen Anzug an – ausgerechnet Peter. Tarzan starrt die beiden nur an.

„Tarzan!", ruft Lisa und rennt zu ihm hin. Ohne dass Tarzan etwas gemacht hätte, beugt sich das Mammut sofort herunter.

Tarzan fällt nach vorn. Doch er stützt sich schnell ab, fasst Lisa vorsichtig an der Hand und zieht sie zu sich hoch. Als sie hinter ihm sitzt und die Arme um ihn schlingt, da wird ihm ganz warm. Alle Leute klatschen und alle lachen sie. Tarzan sieht aber, wie die Leute anders lachen als sonst. Er ruft zu Peter hinunter: „Du hattest Recht, Peter!"
Alle drehen sich zu Peter um und Fritz schüttelt ihm wild die Hand, als müsste er sich bei ihm bedanken.
Tarzan strahlt übers ganze Gesicht. Er kann plötzlich normal mit Lisa reden. Auf dem Weg erklärt er ihr, wie man einen Elefanten reitet. Und er sagt ihr, dass sie keine Angst zu haben braucht. Tarzan weiß, dass er Lisa aus jeder Gefahr retten würde.
Sie ziehen am Rathaus vorbei, wo alle

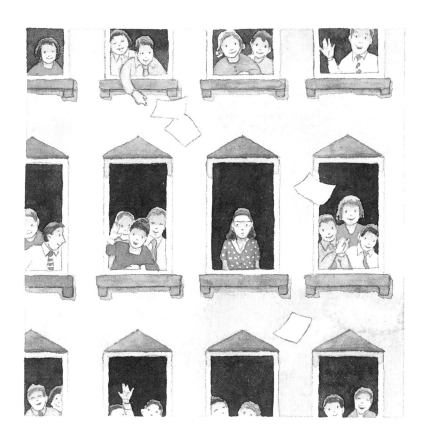

die Köpfe aus den Fenstern stecken und
winken. Tarzan denkt an die langen
Gänge und an Frau Lüdgers. Er sucht
die Fenster ab und sieht dann Frau
Lüdgers, die als Einzige still dasteht.

Tarzan ruft, so laut er kann: „Frau Lüdgers! Man muss seinen Träumen Beine machen!" Er winkt ihr zu und dann winkt auch Frau Lüdgers ein bisschen.
Als die Elefanten, Tarzan und Lisa, Fritz und Peter auf dem Marktplatz ankommen, wartet dort ein Journalist auf sie.
Der Journalist verschießt einen ganzen Film, von dem Mammut und wie obendrauf Tarzan und Lisa sitzen – und er sagt: „Morgen können das alle in der Zeitung lesen, von Ruhstadt, wo wieder ein Zirkus ist, und von dem Jungen, der seiner Freundin versprochen hat, dass er sie mit einem Mammut abholt."
Oben auf dem Mammut halten sich Tarzan und Lisa ganz fest an der Hand.

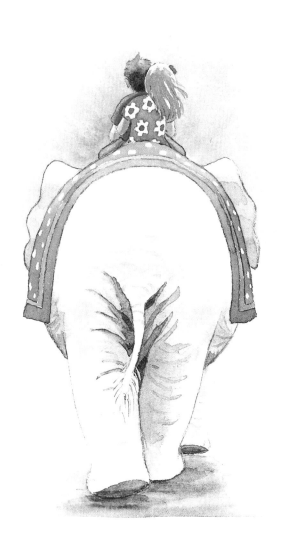

SONNE·MOND·UND·STERNE
Die farbige Oetinger Kinderbuch-Reihe

JÜRGEN BANSCHERUS
Gottlieb, der Killerhai

KIRSTEN BOIE
Ein Hund spricht doch nicht
mit jedem
Krippenspiel mit Hund
King-Kong, das Geheimschwein
King-Kong, das Krimischwein
King-Kong, das Liebesschwein
King-Kong, das Reiseschwein
King-Kong, das Schulschwein
King-Kong, das Zirkusschwein
Lena findet Fan-Sein gut
Lena hat nur Fußball im Kopf
Lena zeltet Samstagnacht
Vielleicht ist Lena in Lennart
verliebt

ERHARD DIETL
Die Olchis sind da
Die Olchis fliegen in die Schule
Die Olchis ziehen um
Die Olchis und der blaue Nachbar

RUDOLF HERFURTNER
Liebe Grüße, dein Coco
Robert fährt im Bus zur Schule

ASTRID LINDGREN
Als der Bäckhultbauer in die
Stadt fuhr
Pippi plündert den
Weihnachtsbaum

PAUL MAAR
Der Buchstaben-Fresser
Das kleine Känguru und der
Angsthase
Matti, Momme und die
Zauberbohnen

PIRI und KLAUS MEYER
Und nachts rollern die Hunde

CHRISTINE NÖSTLINGER
Feriengeschichten vom Franz
Fernsehgeschichten vom Franz
Geschichten vom Franz
Hundegeschichten vom Franz
Krankenschichten vom Franz
Liebesgeschichten vom Franz
Neue Schulgeschichten
vom Franz
Neues vom Franz
Schulgeschichten vom Franz
Weihnachtsgeschichten vom Franz
Ein Kater ist kein Sofakissen

BETTINA OBRECHT
Hier wohnt Gustav
Jonas lässt sich scheiden
Julian und das Mamapapa

OTTI PFEIFFER
Jim Jumbo auf Reisen
Wer will eine kleine Katze haben?

URSEL SCHEFFLER
Der Luftballon aus Avignon

WILHELM TOPSCH
Ein Esel kommt selten allein

ANDREAS VENZKE
Tarzan auf dem Mammut

CHRISTA ZEUCH
Die kleine Hexe Xixibix
Xixibix macht Hexenfaxen
Lollipopps Geheimversteck